OPERATIONS

매스티안

팩토슐레 Math Lv. ① 교재 소개

" 우리 아이 첫 수학도 창의력을 키우는 **FACTO**와 함께! "

● **팩토슐레**는 처음 수학을 시작하는 유아를 위한 창의사고력 전문 프로그램입니다.

● **팩토슐레**는 만들기, 게임, 색칠하기, 붙임딱지 붙이기 등의 다양한 수학 활동을 하면서 스스로 수학 개념을 알 수 있도록 구성하였습니다.

수 (NUMBERS)

도형 (SHAPES)

측정 (MEASUREMENT)

규칙 (PATTERNS)

연산 (OPERATIONS)

문제해결력 (PROBLEM SOLVING)

※팩토슐레는 6권으로 구성되어 있으며, 각 권에는 30가지의 재미있는 활동이 수록되어 있습니다.

누리과정

팩토슐레는 누리과정 · 초등수학과정을 연계하여 수학의 5대 영역 (수와 연산, 공간과 도형, 측정, 규칙, 문제해결)을 균형 있게 학습할 수 있도록 하였습니다.
특히 가장 중요한 수와 연산은 각 권으로 구성하여 깊이 있는 학습이 가능하도록 하였습니다.

STEAM PLAY MATH

팩토슐레는 4, 5, 6세 연령별로 학습할 수 있도록 설계한 놀이 수학입니다.
매일매일 놀이하듯 자르고, 붙이고, 색칠하는 30가지의 재미있는 활동을 통해 창의사고력을 기를 수 있습니다.

동화책풍의 친근한 그림

팩토슐레는 동화책풍의 그림들을 수록하여 아이들이 수학을 더욱 친근하게 느끼며 좋아할 수 있도록 하였습니다. 또한 한글을 최소화하고 학습 내용을 직관적으로 이해할 수 있도록 하였습니다.

팩토슐레 Math Lv. 1 교구·App 소개

" 수학 교육 분야 **증강현실(AR)**과 **사물인식(OR)** 기술을 **국내 최초 도입** "

교구를 활용한 App 학습 프로세스

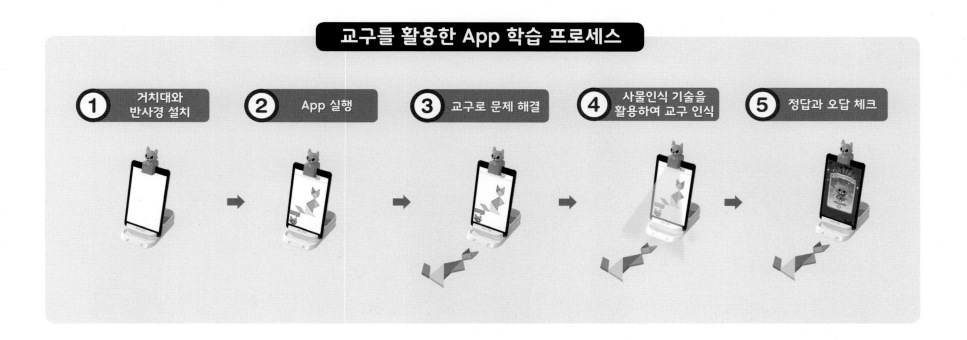

① 거치대와 반사경 설치 ② App 실행 ③ 교구로 문제 해결 ④ 사물인식 기술을 활용하여 교구 인식 ⑤ 정답과 오답 체크

자기주도학습 `팩토슐레 App만의 장점`

팩토슐레 App은 사물인식(OR) 기술을 사용하여 아이들의 학습 정보를 습득한 후, App에 프로그래밍된 학습도우미를 통하여 아이들이 문제 푸는 것을 힘들어하거나 틀릴 경우에는 힌트를 제공합니다.
이와 같은 방식의 스마트기기와의 상호작용은 학습의 효율을 높이고 자기주도학습 능력을 길러 줍니다.

완벽한 학습 설계 App `다른 교육 App과의 차별점`

팩토슐레 App은 수학 교육 목표에 맞게 완벽한 학습 설계가 되어 있습니다. 아이들은 게임 기반의 학습 App을 진행하면서 어려운 문제도 술술 풀 수 있습니다.

증강현실(AR) 기술 도입

팩토슐레 App은 아이들이 캐릭터와 사진도 찍고, 자신이 그린 그림으로 자기만의 쿠키도 만들면서 학습 몰입도를 높일 수 있습니다.

01

친구들이 양손에 들고 있는 꽃을 꽃병에 꽂았어요. 꽃병에 꽃을 알맞게 붙이고 **꽃이 모두 몇 송이**인지 알아보세요. 붙임딱지 ①

❶ 돌림판을 돌리고, 화살표 양쪽이 가리키는 꽃을 활동판 에 차례로 놓습니다.

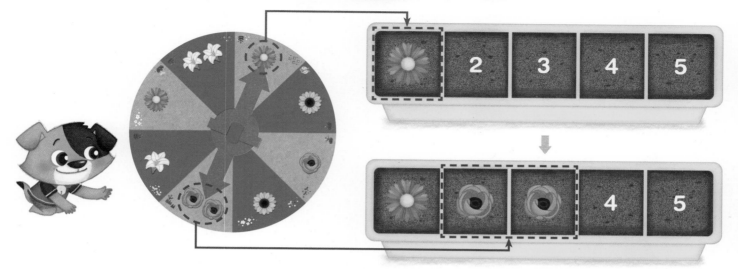

❷ 꽃이 모두 몇 송이인지 세어 말합니다.

하나 둘 셋

하나, 둘, 셋
3송이!

❸ ❶~❷의 순서로 반복하여 '2, 3 모으기'를 연습해 봅니다.

활동판

1 2 3 4 5

엄마는
선생님!

꽃의 수를 세어 보면서 수 모으기의 기초를 익힐 수 있습니다.

친구들이 동물 카드를 2장씩 가지고 있네요. 친구들이 양손에 들고 있는 카드의 **동물**은
모두 몇 마리인지 알아보세요.

마리

마리

마리

마리

❶ 다음과 같이 1 카드, 2 카드 8장과 칩 5개를 준비합니다.

❷ 각자 1 카드 2장, 2 카드 2장씩 나누어 가집니다.

❸ 각자 카드 1장씩을 뒤집어서 내려놓고 아이부터 수 2와 3 중에서 하나를 부릅니다.

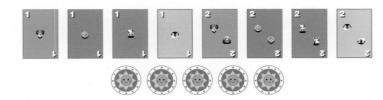

❹ 내려놓은 2장의 카드를 뒤집어 2장의 카드의 동물을 모아서 세어 봅니다.

경우1 부른 수와 동물의 수가 같은 경우

3

가져가기

맞혔네.
칩 1개를
가져가.

경우2 부른 수와 동물의 수가 다른 경우

3

틀렸네.
이제 내 차례야.

❺ 냈던 카드는 다시 가져가고 ❸~❹의 순서로 게임을 반복합니다. 칩이 모두 없어지면 게임이 끝나고 칩을 더 많이 가져간 사람이 이깁니다.

친구들이 가지고 있던 예쁜 물고기를 어항에 넣었어요. 어항에 물고기를 알맞게 붙이고 어항의 **물고기가 모두 몇 마리**인지 알아보세요. 붙임딱지 ①

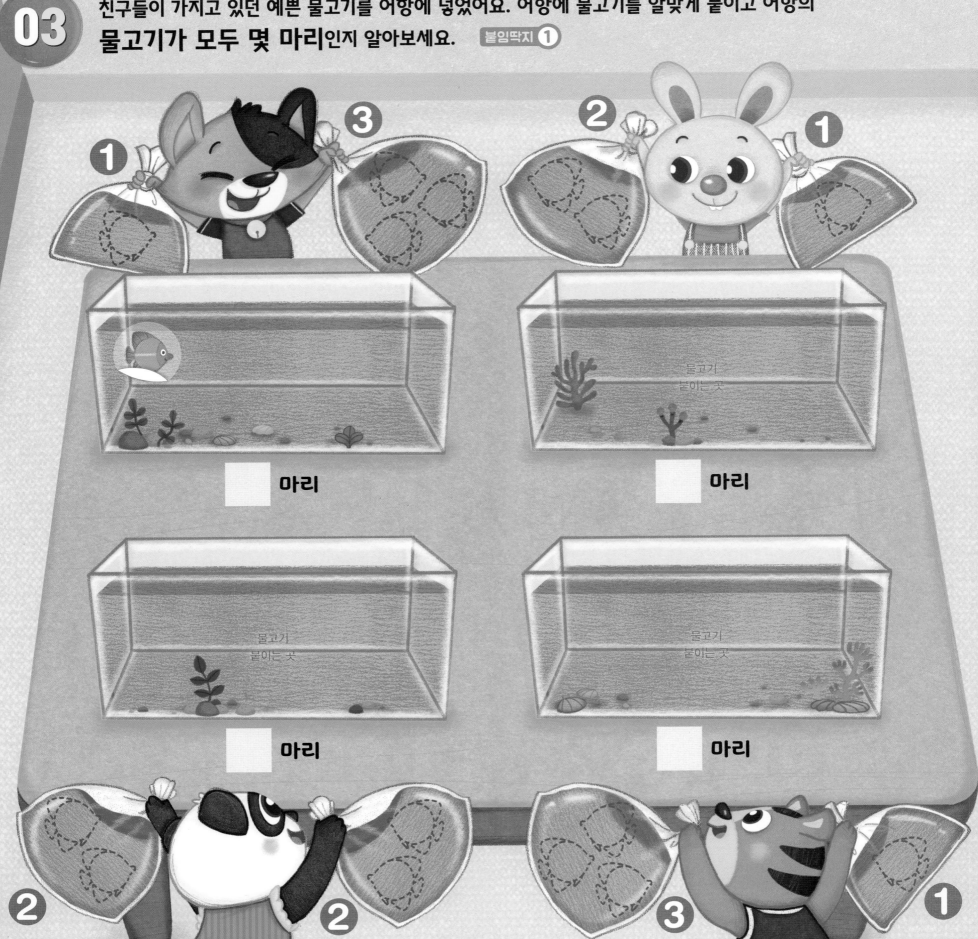

❶ 물고기 활동지를 준비합니다.

❷ 먼저 엄마가 어항의 왼쪽에 활동지 1장을 올려 놓습니다.

❸ 아이는 어항의 물고기가 4마리가 되도록 어항의 오른쪽에 알맞은 활동지를 올려놓습니다.

❹ ❷~❸의 순서로 반복하여 '4 모으기'를 연습 해 봅니다.

4마리

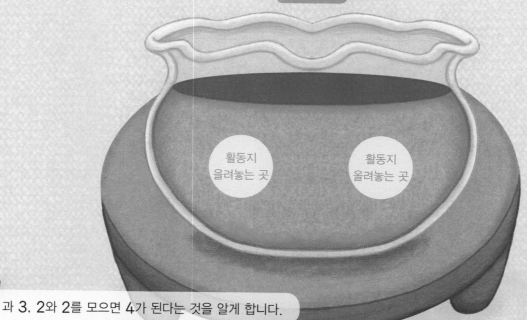

활동지
올려놓는 곳

활동지
올려놓는 곳

엄마는 선생님! I과 3, 2와 2를 모으면 4가 된다는 것을 알게 합니다.

친구들이 **과일을 4개**씩 먹으려고 해요. 그런데 각자 **두 접시**만 가져갈 수 있어요.
어떤 접시를 가져가야 하는지 선을 그어 알아보세요.

❶ 다음과 같이 1~3 카드를 10장 준비합니다.

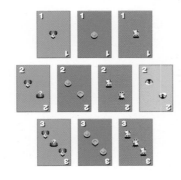

❷ 카드를 잘 섞은 후 4장을 뒤집어 바닥에 놓고, 남은 카드는 쌓아 놓습니다.

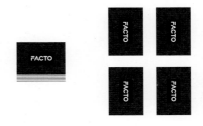

❸ 아이부터 번갈아 가며 카드 2장을 동시에 펼쳐 동물이 4마리가 되면 펼친 카드를 가져갑니다.

경우1 **동물이 4마리인 경우**

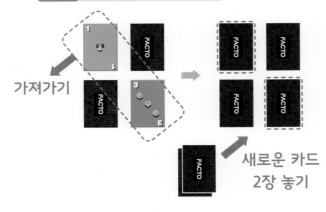

가져가기

새로운 카드 2장 놓기

경우2 **동물이 4마리가 아닌 경우**

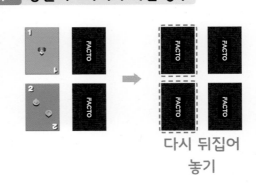

다시 뒤집어 놓기

❹ 카드가 모두 없어지면 게임이 끝납니다. 이때 카드를 더 많이 모은 사람이 이깁니다.

05 농장에 많은 동물들이 있어요. 아기 병아리들도 암탉을 따라 나왔네요.
같은 동물끼리 **모아서 몇 마리**씩 있는지 알아보세요.

마리

마리

마리

마리

마리

마리

 마리   마리   마리

マリ

マリ

マリ

マリ

マリ

マリ

마리　　　　　마리　　　　　마리

06 친구들이 **주사위의 수만큼 동물 카드를 모아** 놓으려고 하네요. 친구들을 도와 빈 곳에 알맞은 카드를 붙여 보세요. 붙임딱지 ①

❶ 다음과 같이 1~3 카드 12장과 주사위를 준비
합니다.

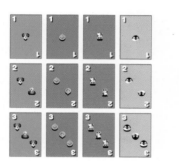

❷ 1이 쓰여 있는 카드 1장을 가운데에 펼쳐 놓고
카드를 섞어 각자 3장씩 나누어 가진 후 나머지
는 한쪽에 쌓아 놓습니다.

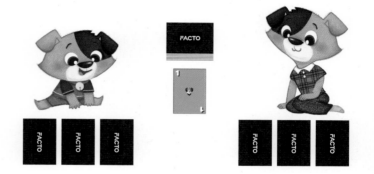

❸ 아이부터 주사위를 굴린 후 자신의 카드 1장을 바닥의 카드 옆에 놓습니다. 이때 맞닿는 카드의 동물
의 수의 합이 주사위를 굴려 나온 수가 되도록 합니다.

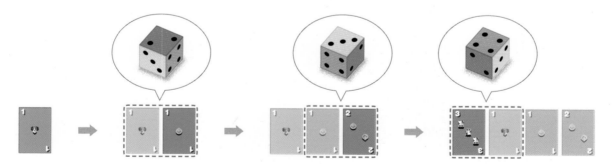

❹ 내려놓을 카드가 없으면 더미에서 카드 1장을 가져갑니다.

❺ 자신의 카드를 먼저 모두 내려놓는 사람이 이깁니다. 단, 쌓아 둔 카드가 모두 없어지면 게임이 끝나고
카드를 더 적게 가지고 있는 사람이 이깁니다.

엄마는
선생님!
여러 가지 방법으로 두 수를 모아 2, 3, 4를 만들 수 있습니다.

07 연잎 위에 청개구리들이 앉아 있어요. 3마리가 앉아 있기도 하고, 4마리가 앉아 있기도 하네요.
청개구리를 **여러 가지 방법으로 가르기** 해 보세요.

 Let's study! · 활동지 ④

❶ 파란색 주사위를 굴려 ▢에 놓습니다.

3 가르기

2가 나왔어!

청개구리 칩
올려놓는 곳

❷ 3을 가르기 하여 ▢에 알맞은 수의 청개구리
칩을 올려놓습니다.

3 가르기

3

2

청개구리
1마리를
놓아야지.

❸ 같은 방법으로 노란색 주사위를 이용하여 '4 가르기'를 해 봅니다.

3 가르기

주사위
올려놓는 곳

청개구리 칩
올려놓는 곳

4 가르기

주사위
올려놓는 곳

청개구리 칩
올려놓는 곳

08 다람쥐가 추운 겨울에 대비하여 밤, 잣, 도토리를 굴 속에 모아 놓았어요. 가져온 **먹이의 개수**를 보고 굴 속에 먹이를 알맞게 붙여 보세요. 붙임딱지 **①**

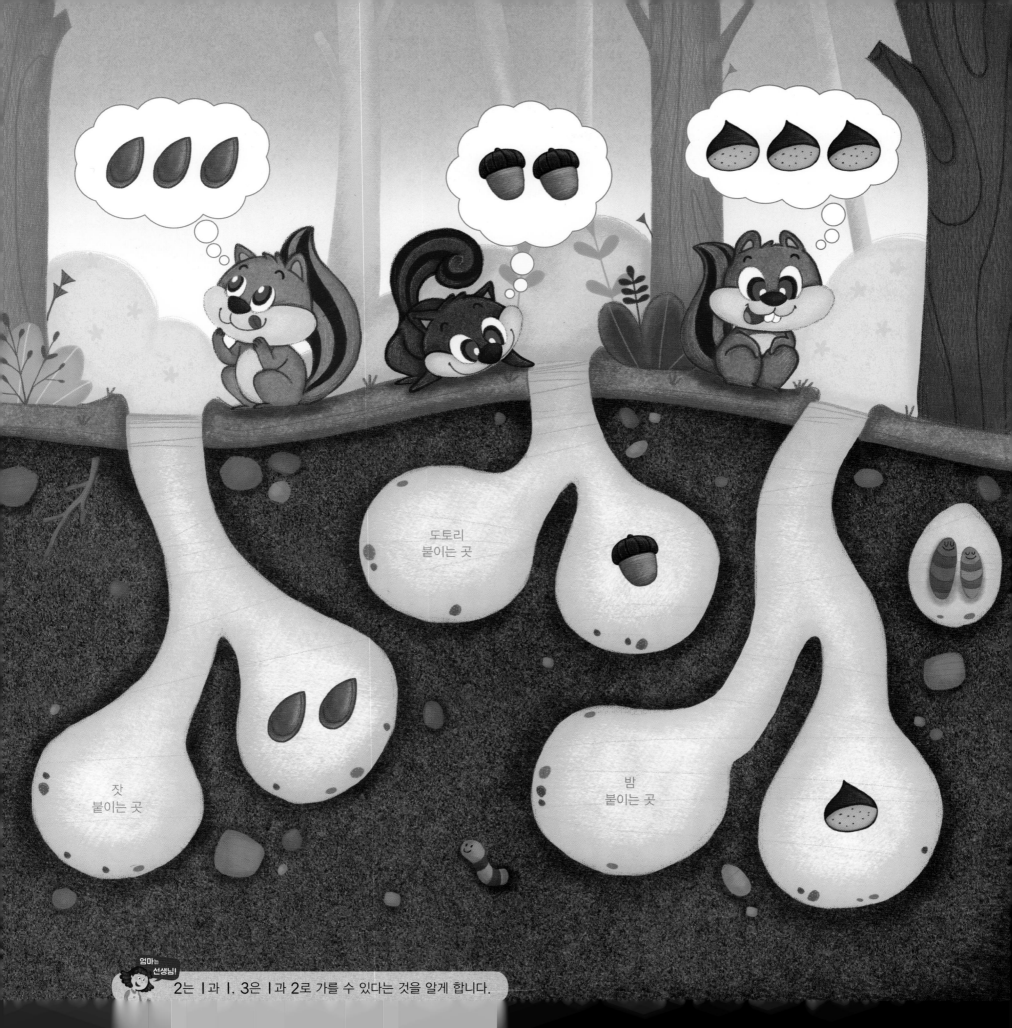

도토리
붙이는 곳

잣
붙이는 곳

밤
붙이는 곳

친구들이 밭에서 수박과 참외를 따고 있어요. **두 바구니에 어떻게 나누어 담을 수 있을까요?** 빈 바구니에 수박과 참외를 알맞게 붙이고 개수를 알아보세요. 붙임딱지 ❶

09

3

1개 ☐개

3

☐개 1개

3

☐개 2개

4

2개 　　　　　　　　　　 ▢개

4　　　　　　　　　　　　 **4**

1개 　　　 ▢개 　　　 ▢개 　　　 **3**개

엄마는 선생님! 뺄셈의 기초가 되는 3, 4 가르기를 다양한 방법으로 익힐 수 있습니다.

수 카드와 주사위를 이용하여 **4 가르기 게임**을 해 보세요.

Let's play! · 활동지 ② ③ ④

❶ 다음과 같이 1~3 카드 12장과 주사위 2개를 준비합니다.

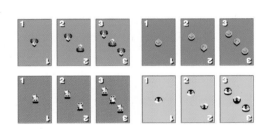

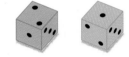

❷ 카드를 섞어서 한 곳에 쌓아 둔 후 카드 1장을 펴서 ☐ 에 올려놓습니다.

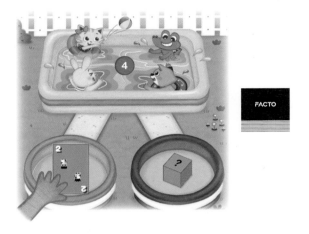

❸ 주사위를 동시에 굴린 후 올려놓은 카드의 수와 주사위의 수를 모아서 4를 만든 사람이 카드를 가져 갑니다.

경우1 **한 사람만 알맞은 수가 나온 경우**

알맞은 수가 나오게 주사위를 굴린 사람이 카드를 가져갑니다.

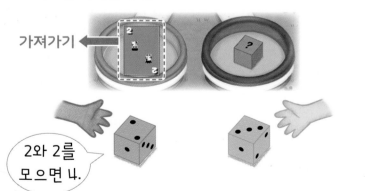

가져가기 ←

2와 2를 모으면 4.

경우2 **두 사람 모두 알맞은 수가 나온 경우**

카드를 빨리 집은 사람이 가져갑니다.

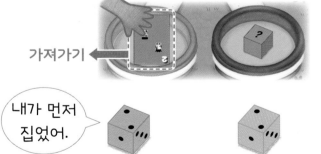

가져가기 ←

내가 먼저 집었어.

❹ 알맞은 수가 나올 때까지 주사위를 굴리며 게임을 반복합니다. 이때 쌓아 둔 카드가 모두 없어지면 게임이 끝나고 카드를 더 많이 가져간 사람이 이깁니다.

4

카드
올려놓는 곳

?

엄마와 아이가 주사위를 굴렸어요. 주사위에 나온 수를 각자 한 손의 손가락을 펴서
손가락 수의 합으로 나타내려고 해요. 아이의 손을 알맞게 붙여 보세요. 붙임딱지 ①

손
붙이는 곳

손
붙이는 곳

Let's study! 활동지 ❺

❶ 주사위의 수를 엄마와 아이가 한 손의 손가락을 펴서 손가락 수의 합으로 나타내는 활동을 해 봅니다.

❷ 아이가 주사위를 굴립니다.

❸ 엄마는 주사위의 수보다 작은 수를 손가락을 펴서 나타내고, 아이는 남은 수만큼 알맞게 손가락을 폅니다.

❹ ❷~❸과 같은 방법으로 활동을 반복하여 해 봅니다.

엄마는
선생님!
여러 가지 방법으로 2, 3, 4를 가르기 해 봄으로써 뺄셈의 기초가 형성됩니다.

12 친구들이 식탁에 놓여 있는 **간식을 모두** 가져갔어요. 피자도 가져갔고, 도넛도 가져갔네요.
빈 접시에 간식을 알맞게 붙여 몇 개씩 가져갔는지 알아보세요. 붙임딱지 ❶

13 친구들이 양손으로 손가락을 펼쳐 보이고 있어요. 각자 **펼친 손가락은 모두 몇 개**인지 알아보세요.

개

개

개

개

개

 **Let's study!** 붙임딱지 ❶

❶ 붙임딱지 8장을 준비합니다.

❷ 다음과 같이 각자 손가락에 붙임딱지 4장씩을 붙입니다.

❸ 엄마가 먼저 손가락을 펼쳐 보여줍니다. 이때 아이는 엄마와 자신의 손가락 수의 합이 5개가 되도록 손가락을 알맞게 펼칩니다.

❹ 아이가 손가락을 맞게 펼쳤으면 엄마가 손가락을 다르게 펼치며 ❸의 방법으로 활동을 반복합니다.

 엄마는 선생님! Ⅰ과 4, 2와 3을 모으면 5가 된다는 것을 알게 합니다.

수 카드를 이용하여 **5 만들기** 게임을 해 보세요.

Let's play! · 활동지 ❷ ❸

① 다음과 같이 1~4 카드 16장을 준비한 후 카드를 섞어 바닥에 뒤집어 쌓아 놓습니다.

② 아이부터 번갈아 가며 카드 1장을 펼쳐 자신 앞에 있는 빵 중에서 같은 수가 적힌 곳에 놓습니다.

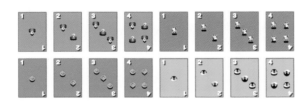

③ 빵 위에 카드가 이미 놓여 있는 경우에는 뽑은 카드를 그 위에 겹쳐서 올려놓습니다.

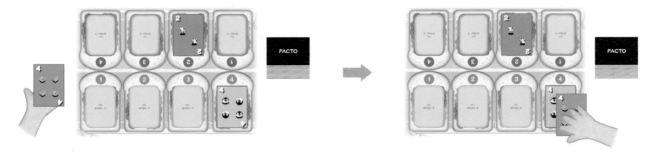

④ 마주 보는 카드의 두 수를 모아서 5가 되면 두 빵 위의 카드를 모두 가져갑니다.

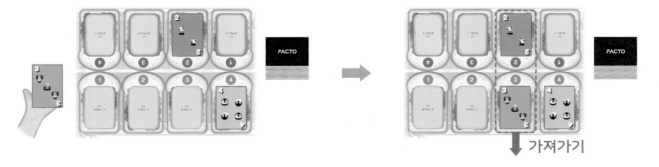

가져가기

⑤ 쌓아 둔 카드가 모두 없어지면 게임이 끝나고 카드를 더 많이 모은 사람이 이깁니다.

15 바닷속에 바다 동물들이 어울려 즐거운 시간을 보내고 있어요. 해파리도 있고, 오징어도 있네요.
같은 종류끼리 **모아서 몇 마리**씩 있는지 알아보세요.

마리

마리

마리

마리

마리

마리

마리

마리

마리

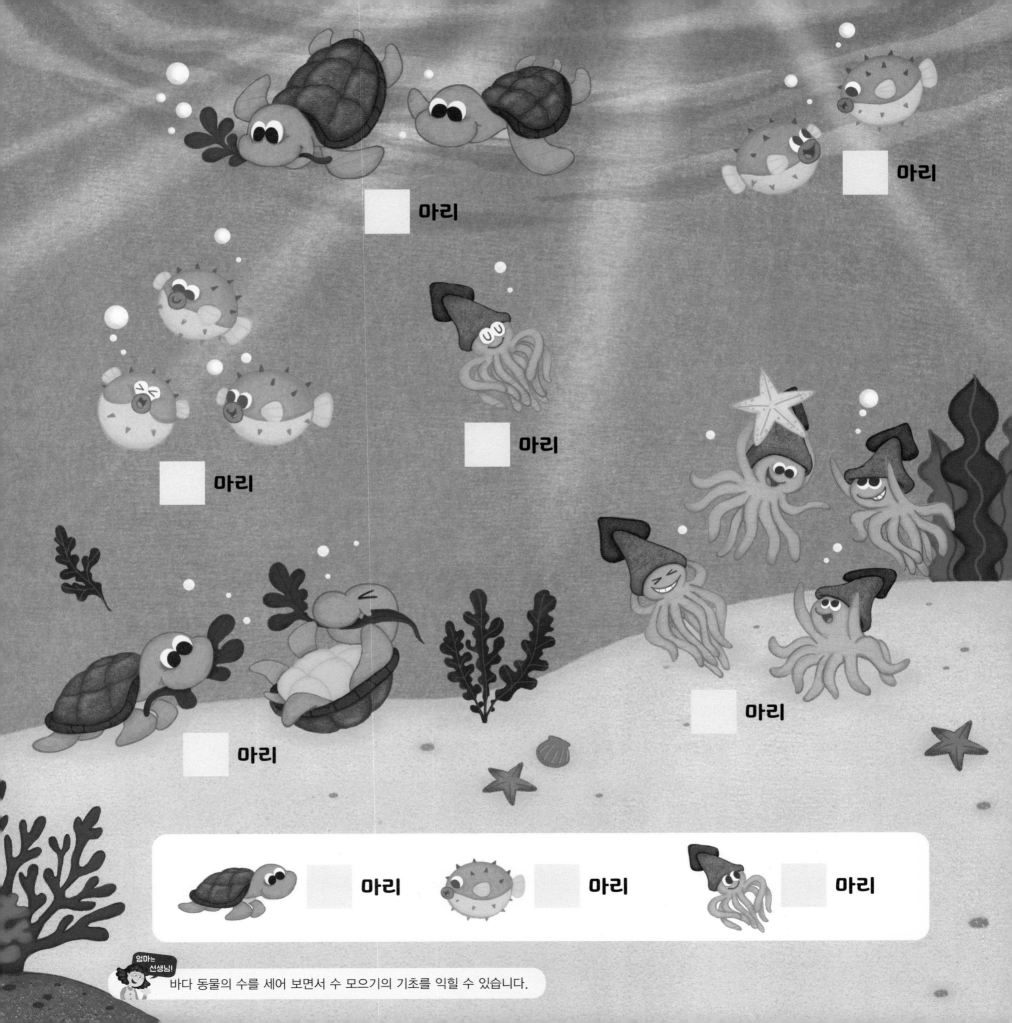

마리

마리

마리

마리

마리

마리

마리

마리

마리

엄마는 선생님!
바다 동물의 수를 세어 보면서 수 모으기의 기초를 익힐 수 있습니다.

수 카드를 이용하여 **4 또는 5 만들기** 게임을 해 보세요.

Let's play! 활동지 ② ③

① 다음과 같이 1~4 카드 16장과 ♥ 카드 2장을 준비한 후 잘 섞어서 바닥에 뒤집어 쌓아 놓습니다.

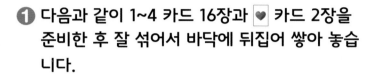

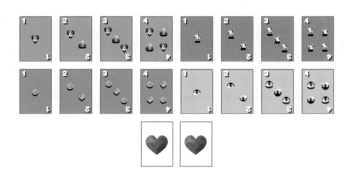

② 엄마부터 번갈아 가며 카드를 1장씩 뒤집어 ⬜에 올려놓습니다.

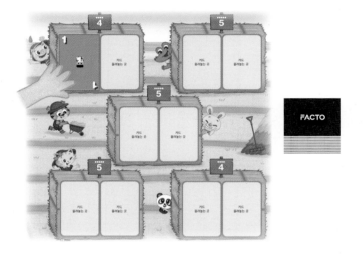

③ 이웃한 ⬜에 올려놓은 2장의 카드의 수를 모아 4 또는 5 가 되면 그 위에 놓인 카드를 모두 가져갑니다.

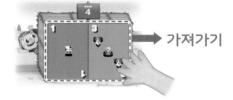

가져가기

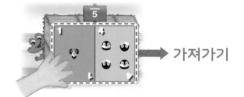

가져가기

④ ♥ 카드를 ⬜에 올려놓으면 이웃한 카드를 모두 가져갑니다.

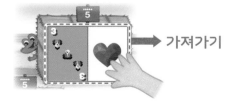

가져가기

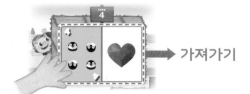

가져가기

⑤ 쌓아 둔 카드가 모두 없어지면 게임이 끝나고 카드를 더 많이 가지고 있는 사람이 이깁니다.

카드
올려놓는 곳

카드
올려놓는 곳

카드
올려놓는 곳

카드
올려놓는 곳

카드
올려놓는 곳

카드
올려놓는 곳

카드
올려놓는 곳

카드
올려놓는 곳

카드
올려놓는 곳

카드
올려놓는 곳

칩 붙이는 곳

칩 붙이는 곳

❶ 엄마는 아이에게 칩(또는 동전) 5개를 보여주고, 전체 개수를 세어 보게 합니다.

❷ 칩을 양손에 나누어 쥔 후, 한쪽 손을 펼쳐 아이에게 보여줍니다.

❸ 아이는 엄마의 펼친 손에 있는 칩을 세어 다른 쪽 손에 있는 칩의 개수를 맞힙니다.

❹ 서로 역할을 바꾸어서도 해 봅니다.

❺ 같은 방법으로 전체 칩의 개수를 3개 또는 4개로 바꾸어 가르기 해 봅니다.

 엄마는 선생님!

5는 1과 4, 2와 3으로 가를 수 있다는 것을 알게 합니다.

18 친구들이 놀이동산에 놀러 갔어요. 친구들이 각자 **5개의 풍선을 양손에 나누어** 들고 있네요. 빈 곳에 알맞은 풍선을 붙여 보세요. 붙임딱지 ❷

1

2

3

4

풍선 붙이는 곳

풍선 붙이는 곳

풍선 붙이는 곳

풍선 붙이는 곳

풍선
붙이는 곳

풍선
붙이는 곳

풍선
붙이는 곳

풍선
붙이는 곳

엄마는 선생님! 뺄셈의 기초가 되는 5 가르기를 다양한 방법으로 익힐 수 있습니다.

수 카드를 이용하여 **가르기 게임**을 해 보세요.

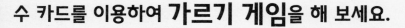

❶ 다음과 같이 1~4 카드 16장과 ♥ 카드 2장을 잘 섞어 게임판 중앙에 뒤집어 쌓아 놓습니다.

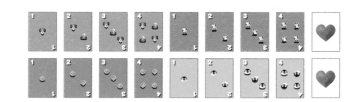

❷ 번갈아 가며 카드 1장을 뒤집어 ▢ 에 올려놓습니다. 이때 이웃한 카드의 두 수를 모아서 5가 되면 그곳에 놓인 카드를 모두 가져갑니다.

예1

2와 3을 모으면 5.

가져가기

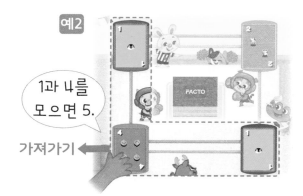

예2

1과 4를 모으면 5.

가져가기

❸ ♥ 카드를 ▢ 에 올려놓으면 이웃한 카드를 모두 가져갑니다.

예1

가져가기

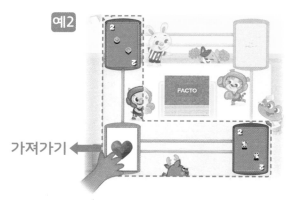

예2

가져가기

❹ 더 이상 가져갈 카드가 없을 때 게임이 끝나고 더 많은 카드를 가진 사람이 이깁니다.

❺ '5 가르기 게임'이 익숙해졌으면 1~3 카드 12장과 ♥ 카드 2장을 가지고 ❷~❸과 같은 방법으로 '4 가르기 게임'도 해 봅니다.

카드
올려놓는 곳

카드
올려놓는 곳

카드
쌓아 놓는 곳

카드
올려놓는 곳

카드
올려놓는 곳

명

명

명

명

③   명

②   명

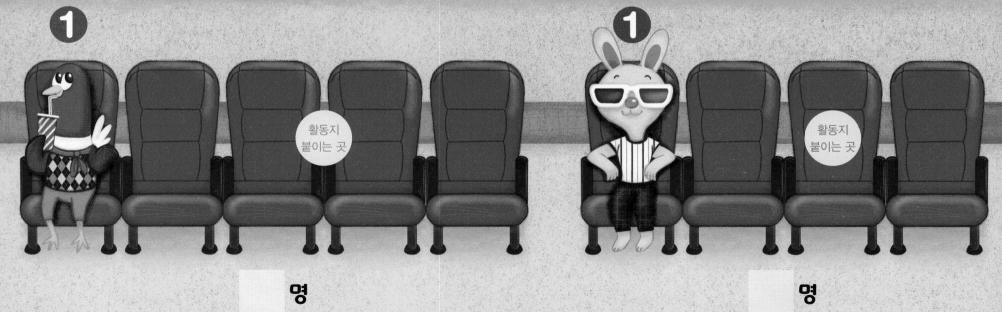

①   명

①   명

엄마는 선생님! 여러 가지 방법으로 4, 5 모으기와 가르기를 하며 덧셈과 뺄셈의 기초를 형성할 수 있습니다.

21 토끼 할머니께서 홍시를 이웃들에게 나누어 주시려고 해요. **두 접시의 홍시의 개수를 모으면** 이웃들이 말하는 수가 돼요. 빈 곳에 홍시를 알맞게 붙여 보세요. 붙임딱지 ❷

2개

홍시 붙이는 곳

3개

홍시 붙이는 곳

5개

홍시 붙이는 곳

4개

홍시 붙이는 곳

친구들이 연을 날리고 있어요. 방패연도 있고, 가오리연도 있네요. **연과 얼레에 쓰여 있는 수를 모으면** 친구들이 말한 수가 돼요. 선을 그어 친구들이 어떤 연을 날리고 있는지 알아보세요.

도미노 카드와 주사위를 이용하여 **수 모으기 게임**을 해 보세요.

Let's play!   활동지 ❻

❶ 12장의 도미노 카드와 주사위를 준비한 후 도미노 카드를 색깔별로 6장씩 나누어 가집니다.

❷ 아이와 엄마가 도미노 카드 1장을 각각 게임판에 올려놓습니다. 이때 도미노 점의 개수와 같은 수가 쓰인 곳에 놓습니다.

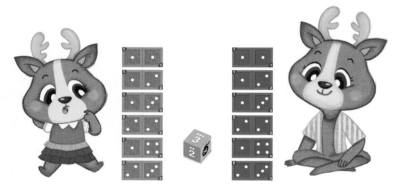

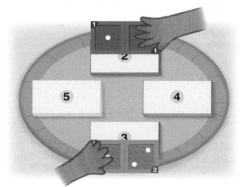

❸ 아이부터 번갈아 가며 주사위를 굴립니다. 이때 바닥에 놓인 도미노의 점의 개수와 같은 수가 나온 경우 2장의 카드를 가져갑니다.

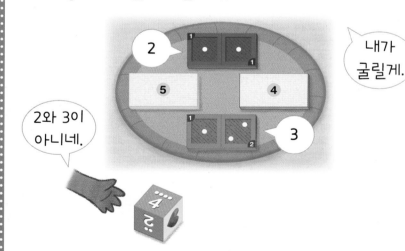

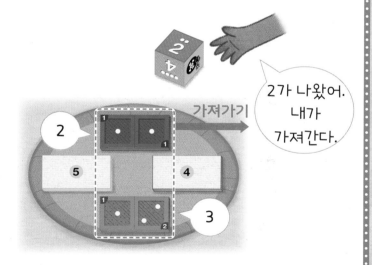

❹ 🖤가 나오면 주사위를 다시 굴리고, 💣이 나오면 상대방에게 차례를 넘깁니다.

❺ 더 이상 내려놓을 카드가 없으면 게임이 끝나고 더 많은 카드를 가진 사람이 이깁니다.

게임을 하며 다양한 방법으로 2부터 5까지의 모으기와 가르기를 할 수 있습니다.

고양이가 친구에게 가려고 해요. ⬤의 수와 도미노의 점의 개수가 같은 방향으로
가야 해요. 어느 친구를 만날지 선을 그어 알아보세요.

25 판다와 사슴은 주어진 조각 중에서 **2가지를 이용하여** 재미있는 작품을 만들었어요.
어느 조각을 이용했는지 알아보세요. 활동지 **6**

두 조각을 모아
4를 만드는 방법은
여러 가지네.

활동지
놓는 곳

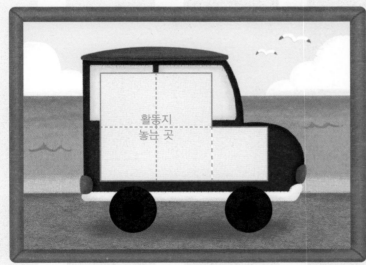

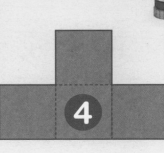

여러 가지 방법으로
5를 만들 수 있구나.

 1

 2

 2

 3

 3

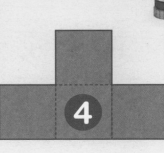 4

 엄마는 선생님! 여러 가지 방법으로 두 수를 모아 4, 5를 만들 수 있습니다.

26 도로에 자동차들이 달리고 있어요. 트럭도 있고, 소방차도 있네요. **바퀴에 쓰여 있는 수를**
모으면 자동차에 쓰여 있는 수가 돼요. 자동차에 바퀴를 알맞게 붙여 보세요. 붙임딱지 ❷

바퀴
붙이는 곳

바퀴
붙이는 곳

바퀴
붙이는 곳

바퀴
붙이는 곳

Let's play! 활동지 **3**

❶ 각자 주사위 1개씩을 나누어 가진 후, 주사위 2개를 동시에 굴립니다.

❷ 두 주사위의 수를 모으고, 각자의 게임판에서 그 수를 찾아 1곳에만 칩을 올려놓습니다.

❸ 주사위에 ♥가 나온 사람은 원하는 곳에 칩을 1개 올려놓을 수 있습니다. 두 사람 모두 ♥가 나오면 주사위를 다시 굴립니다.

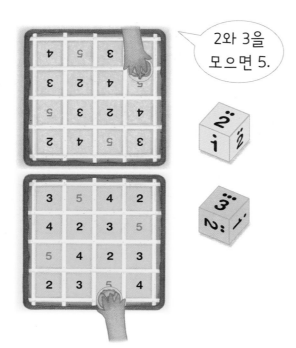

2와 3을 모으면 5.

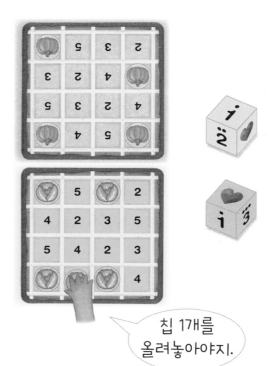

칩 1개를 올려놓아야지.

❹ 가로 또는 세로로 4개의 칩을 먼저 올려놓는 사람이 이깁니다.

<가로 4개>   <세로 4개>

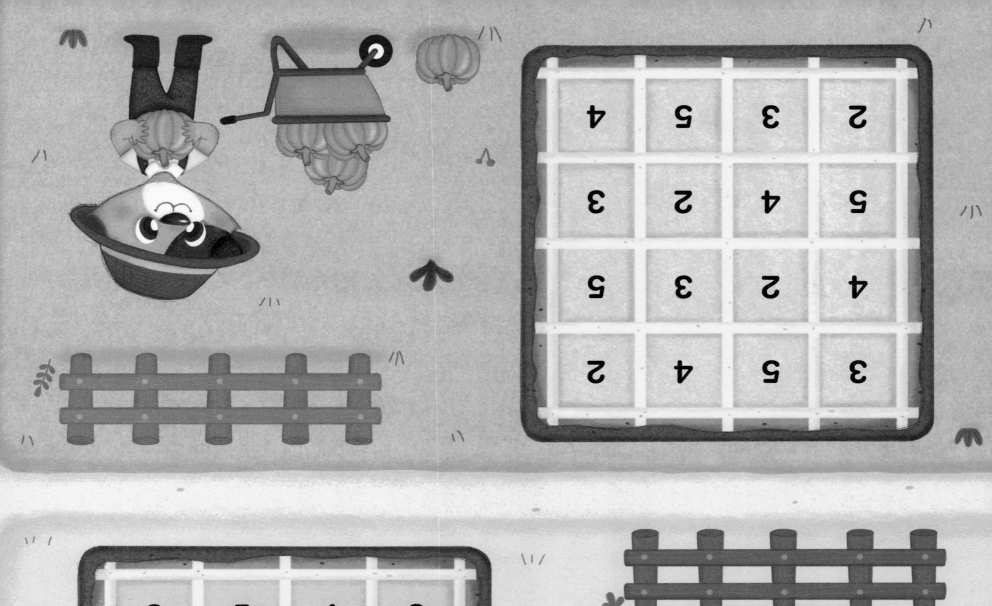

28 친구들이 칠판에 쓰여 있는 퀴즈를 풀고 있네요. **이웃하는 두 수를 모아서 주어진 수가 되는** 곳에 ▭와 ▯ 표시를 하려고 해요. 친구들과 함께 퀴즈를 풀어 보세요.

3 만들기

1	4	3
2	2	1
4	3	1
1	2	2

4 만들기

3	1	2
3	4	2
4	1	3
2	2	3

5 만들기

4	4	2	4
1	2	1	4
3	3	1	2
2	1	3	2

3은 1과 2, 4는 1과 3, 2와 2, 5는 1과 4, 2와 3으로 분해하거나 합성할 수 있다는 것을 알게 합니다.

29 친구들이 강에서 물고기를 잡고 있네요. 서로 마주 보는 **두 수를 모아 4 또는 5**가 되도록 선을 그어 보세요.

4 만들기

1   1

2   3

3   2

5 만들기

A

1
2
2
4
3
3
4
1

돼지가 할머니 댁에 가기 위해 징검다리를 건너려고 해요. **이웃한 두 돌에 쓰여 있는 수를 모으면** 물고기가 말한 수가 돼요. 빈 곳에 돌을 알맞게 붙여 보세요. 붙임딱지 2

MEMO

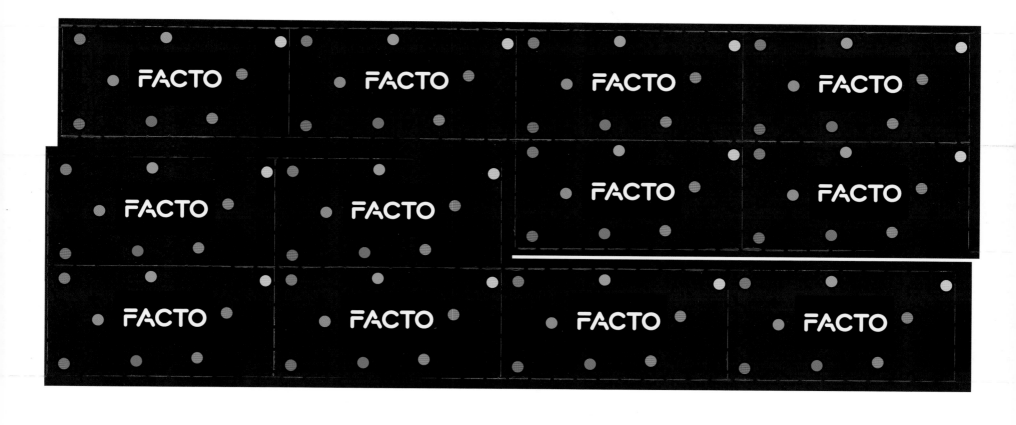

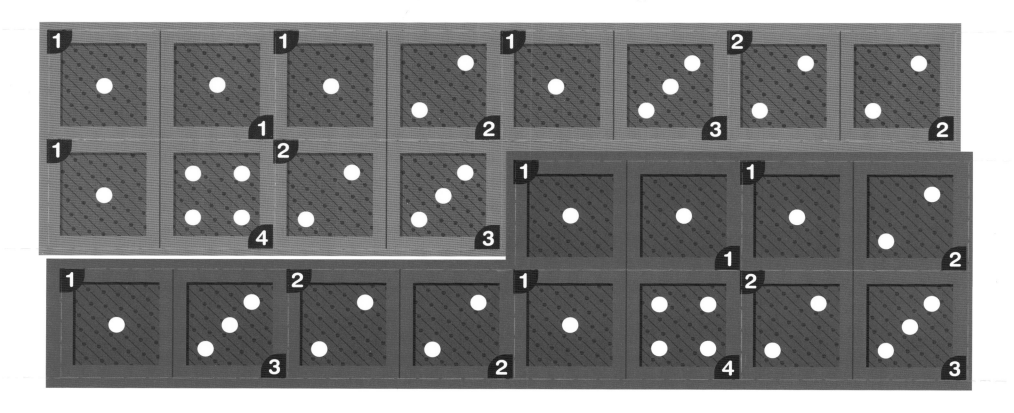

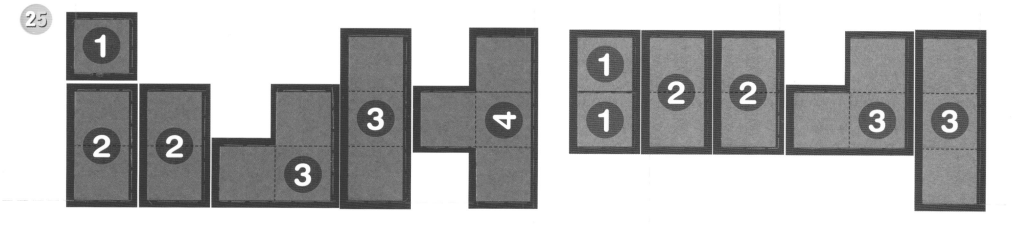

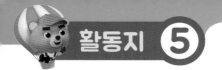

⑪

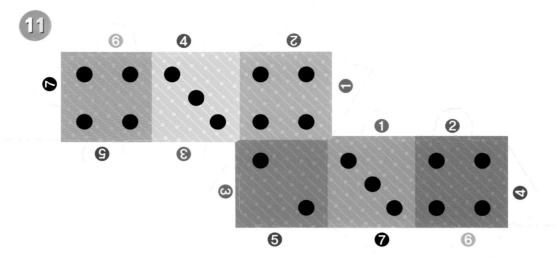

⑳

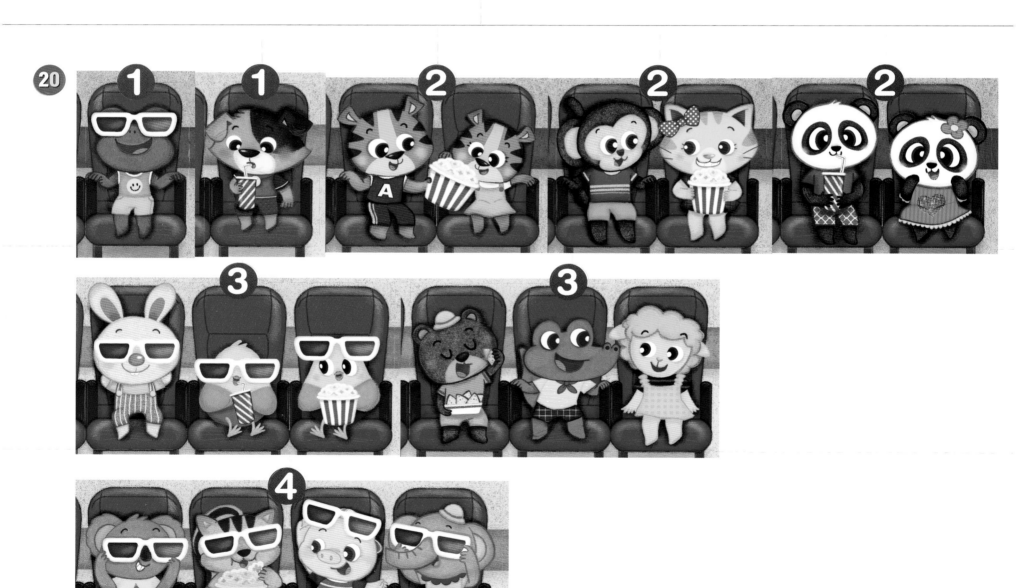

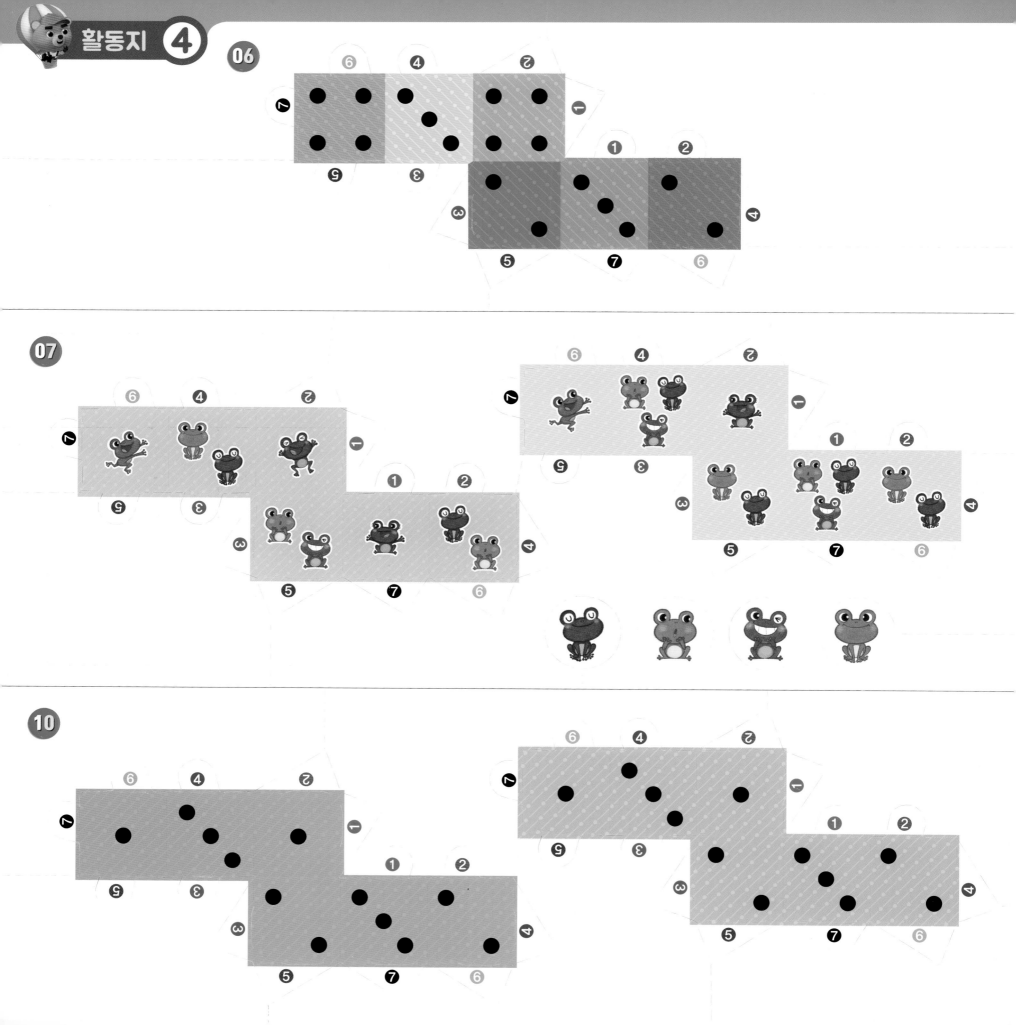

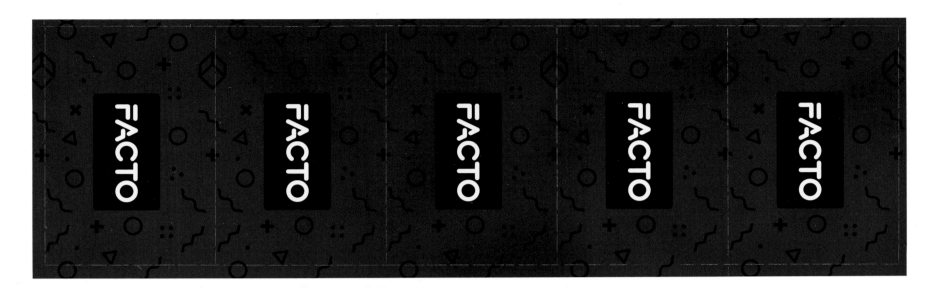

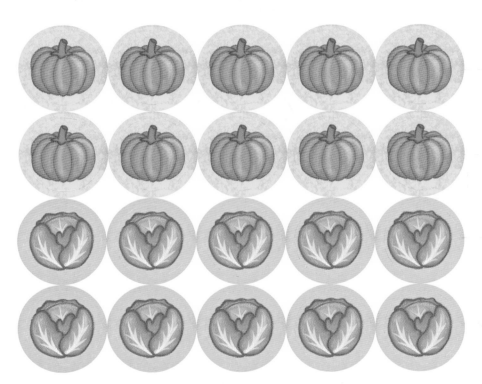

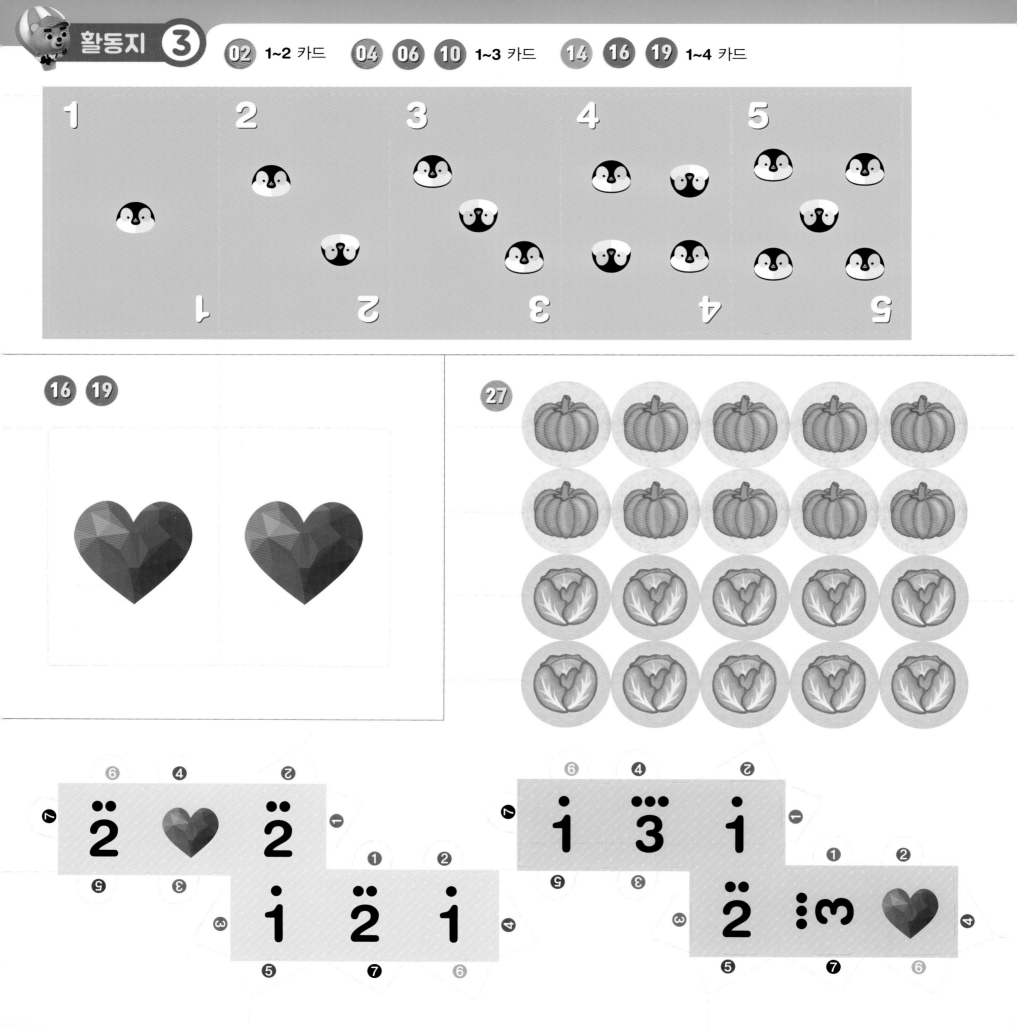

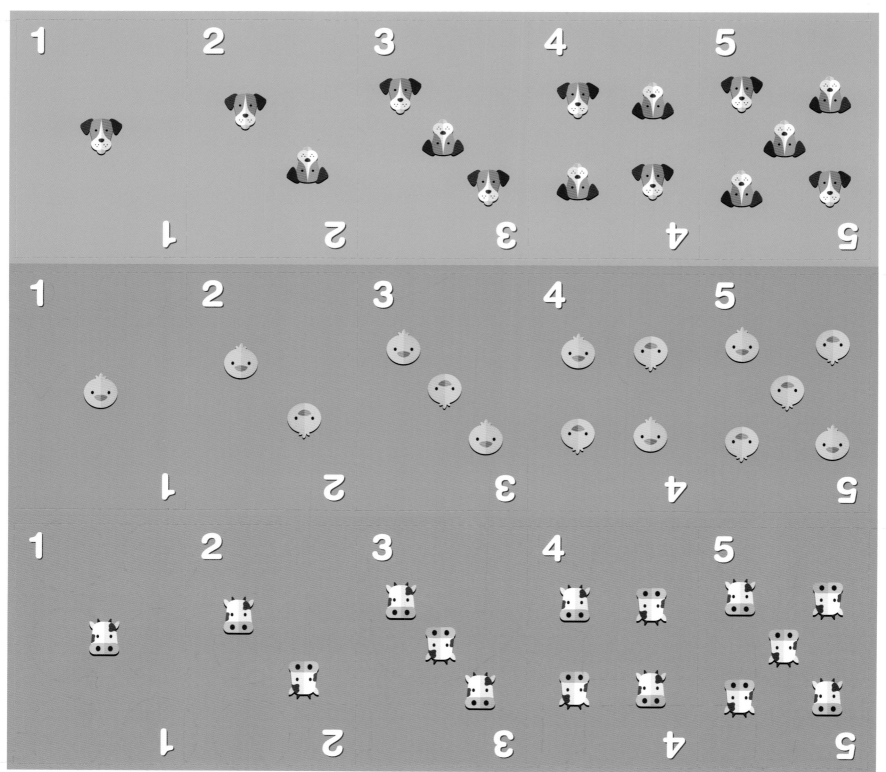

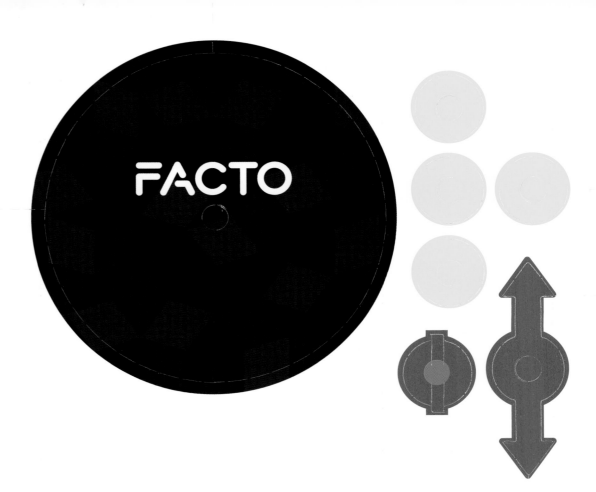

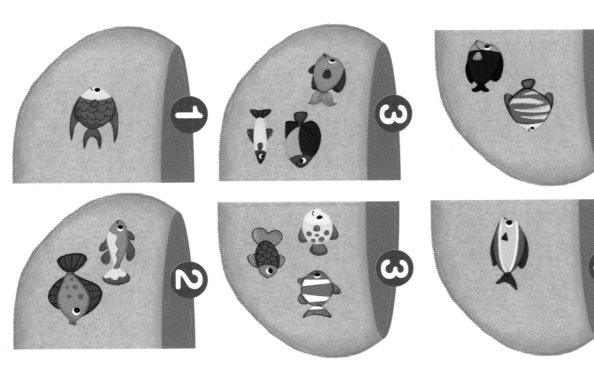

01

02
17

03

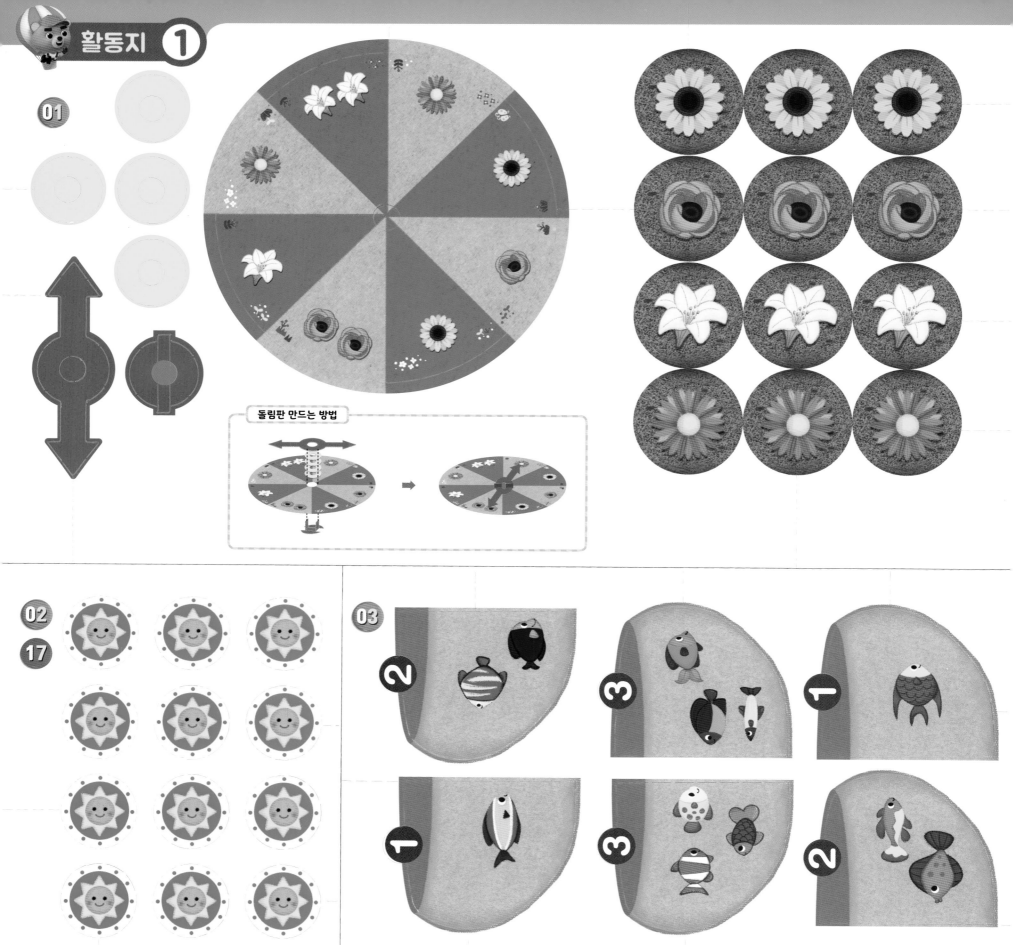

돌림판 만드는 방법

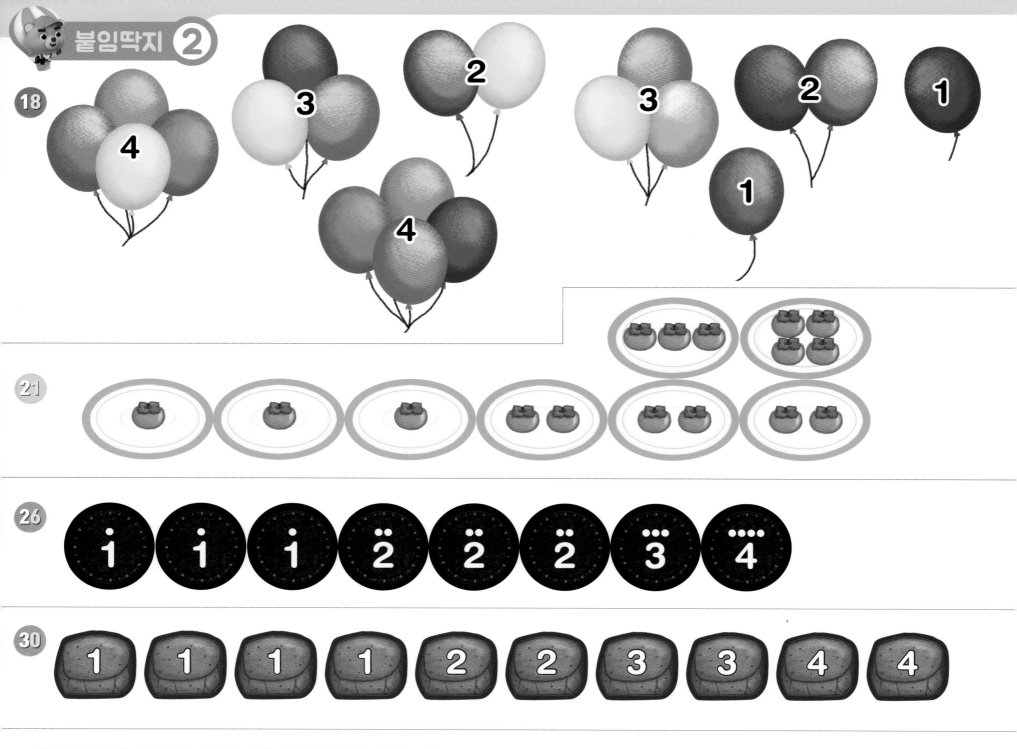

붙임딱지 ②

※ 본문의 빈칸에 수를 써넣기 힘들어하는 친구들은 아래의 붙임딱지를 사용해 주세요.

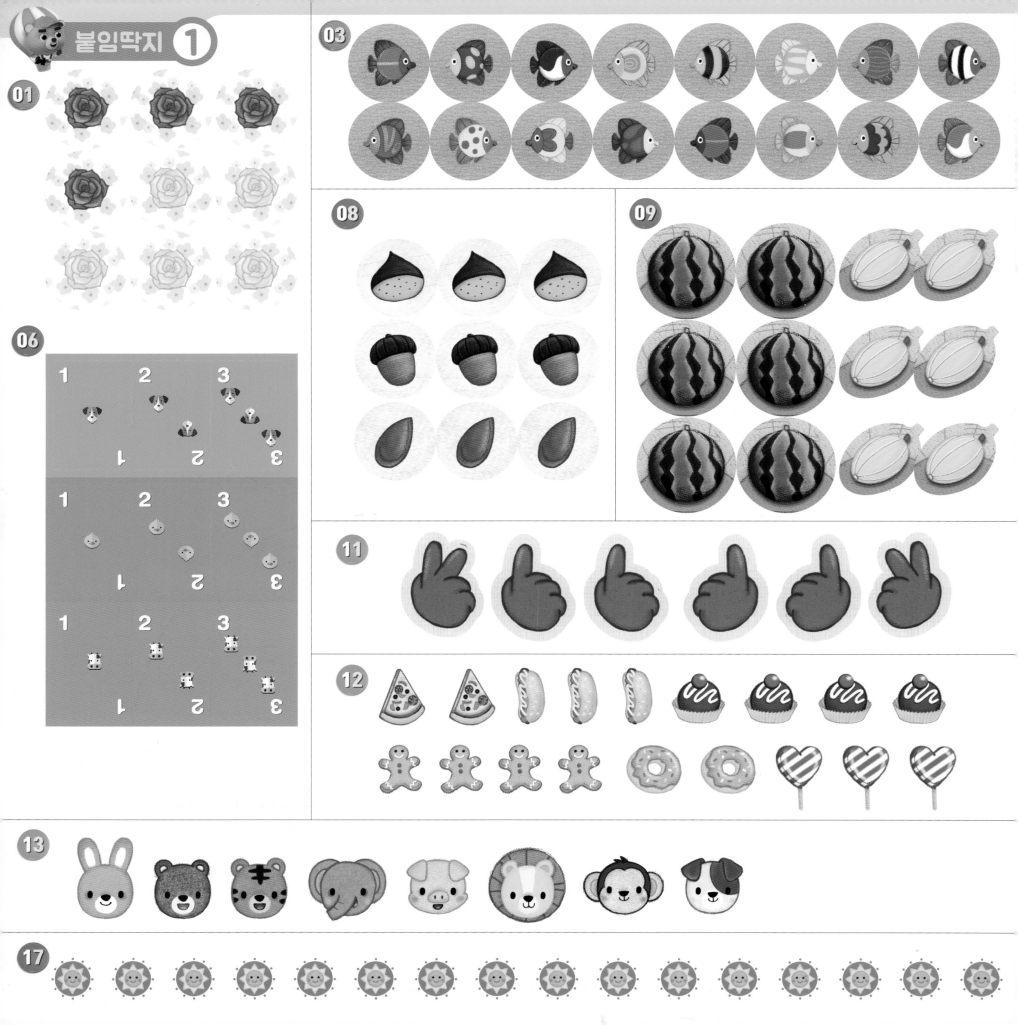

※ 활동지(카드, 주사위, 칩 등)를 사용한 후 보관 상자에
담아 두었다가 필요할 때마다 사용하세요.

보관방법 1

보관방법 2

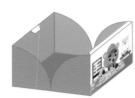

풀칠하는 곳

풀칠하는 곳

FACTO

OPERATIONS